Jugoterapia
(el camino hacia la salud)

Jugoterapia
(el camino hacia la salud)

Editorial Época, S.A. de C.V.
Emperadores núm. 185
Col. Portales
C.P. 03300, México, D.F.

Jugoterapia (el camino hacia la salud)

© Derechos reservados 2007
© Editorial Época, S.A. de C.V.
  Emperadores núm. 185, Col. Portales
  C.P. 03300, México, D.F.
  email: edesa2004@prodigy.net.mx
  www.editorial-epoca.com.mx
  Tels: 56-04-90-46
         56-04-90-72

ISBN: 970-627-558-4

Impreso en México — *Printed in México*

Introducción

La *jugoterapia* es el camino más fácil y sencillo para recuperar la salud, ¿por qué?, bajo la conciencia de que estamos viviendo en un mundo acelerado, donde además los alimentos, por lo general, se someten a procesos de industrialización, perdiendo la mayor parte de sus nutrimentos, es muy común que el cuerpo se vea y se sienta en mal estado, pues así como se dice que estamos viviendo momentos de cambio, también es muy cierto que son tiempos de enfermedades, ¿y qué es lo que debemos hacer?, pues muy sencillo, vayamos al rescate de los alimentos naturales.

Pensemos un poco. Cuántos beneficios obtenemos con tan sólo colocarnos alguna fruta o verdura sobre la piel; por ejemplo, la papaya sobre los pómulos, o bien, rodajas de pepino en los ojos, sin duda remedios infalibles. Ahora bien y yéndonos un poco más allá, imaginemos qué harán estas mismas frutas cuando las consumamos, claro que actuarán desde adentro, para después exteriorizar resultados. Pero a todo esto agreguémosle lo siguiente, ¿qué sucede cuando hacemos una perfecta combinación de frutas y verduras?, así de eficaz y único es el mundo de la *jugoterapia.*

Y es que los jugos proporcionan vitalidad y energía, ya que nos aportan nutrimentos de forma concentrada, además de que son muy fáciles de digerir y son una excelente fuente de vitaminas y minerales que nos ayudan a mejorar algunos síntomas y enfermedades.

Con Jugoterapia *(el camino hacia la salud),* usted conocerá la amplia variedad de jugos, que aportarán a su alimentación los nutrimentos necesarios para evitar y contrarrestar riesgos en la salud, logrando prevenir enfermedades y mantener un peso adecuado para toda la vida.

La alimentación adecuada

Hablemos de forma práctica y concisa. Todo ser viviente tiene que alimentarse para poder subsistir. Y es que la importancia que tienen los alimentos para el organismo se traduce entre la vida y muerte, así de fácil.

Bajo este esquema, y conociendo la importancia de una alimentación adecuada, hablaremos de que ésta trabaja bajo dos esquemas: aportar energía que se llega a perder en el trabajo y el calor; la aportación de materiales es indispensables para la formación, renovación y mantenimiento de nuestras células y tejidos.

Cuando la salud comienza a deteriorarse, por supuesto que la primera causa sospechosa será siempre la alimentación, y después responsabilizaríamos a aspectos que podrían considerarse secundarios, como pueden ser el estrés, el exceso de trabajo, entre otros. Ahora bien, quizá ya ha escuchado hablar de que el estado mental tiene mucho que ver en el bienestar de las personas, y estamos completamente de acuerdo, pero ahora sólo nos compete revisar nuestra salud desde los aportes externos que podamos brindarle.

De esta manera, nuestro bienestar dependerá de una alimentación adecuada, porque no se trata de sustituir nuestra comida diaria con un jugo, sino que más bien estamos hablando de un complemento, porque tampoco debe llegar a convertirse en sustituto de ningún alimento por mucho que éste pudiera parecernos dañino. Sin embargo, aquí si se trata de evitar alimentos conocidos como "chatarra", y dejar de lado todos los excesos, verá que con este nuevo hábito se sentirá y se verá mucho mejor. Pero si aún le queda algo de duda, tome en cuenta lo siguiente.

Equilibrio alimenticio:

El equilibrio en los alimentos que consumimos, que es la forma más sencilla de referirnos a una alimentación adecuada, se traduce en la satisfacción de las necesidades del organismo, lo cual dependerá mucho de la edad y las actividades físicas, pues las personas que realizan trabajos físicos vigorosos o que practican deportes necesi-

tan una alimentación más abundante que quienes trabajan en una oficina.

Tome en cuenta que la comida debe ser suficiente, aunque no abundante, variada y apta para aportar los elementos necesarios que requiere un buen equilibrio.

Aporte de la fibra

Hablando de esta época de consumismo (la actual), ¿se ha preguntado por qué han salido al mercado muchas barras energéticas?, las cuales están compuestas en su mayoría por altas cantidades de fibra; si lo ha hecho le ayudaremos a responder esta pregunta: porque hoy en día crece cada vez más la necesidad de las personas de aportarle a su organismo verdaderos nutrimentos, claro que todo esto nace de lo ya expuesto en el capítulo anterior. Por lo tanto, consideramos necesario antes de entrar de lleno a la *jugoterapia* hablar sobre el tema.

La fibra es la parte de las frutas, verduras y granos que el organismo no es capaz de digerir, aunque en el intestino grueso existen unas bacterias que pueden descomponer el exceso de azúcares que se requieren expulsar, pero para que eso suceda, se tienen que masticar los alimentos ricos en fibra más tiempo que los demás, lo que ayuda a que nos sintamos satisfechos y no comamos en demasía.

Toda dieta equilibrada debe componerse de los dos tipos de fibras existentes: soluble e insoluble. La soluble se disuelve en agua, es fácil de absorber y está presente en las leguminosas, avena y cítricos. La insoluble, se encuentra en el salvado de trigo, derivados de granos enteros y verduras.

Pero ¿qué beneficios obtenemos?, a estas alturas la pregunta debería ir sobrando, pues con los aportes necesarios de fibra estaremos libres de enfermedades y padecimientos, tales como:

- Colesterol
- Diabetes
- Estreñimiento
- Cáncer
- Hemorroides
- Obesidad

Pero si esto fuera poco, debemos saber que las frutas y verduras nos aportan mucha fibra. La dosis diaria recomendada de fibra dietética es de 25 a 30 grs., y debe irse graduando según lo tolere el organismo.

Sin embargo, para que ésta pueda ser digerida de mejor manera, será necesario que también incluya el consumo de muchos líquidos, de preferencia agua, esto nos ayudará a evitar obstrucciones intestinales.

El camino
hacia la salud

Ya hablamos sobre la importancia que tiene el alimentarse adecuadamente, así como también de la cantidad de fibra que debemos consumir a diario, por lo que ahora es tiempo de tomar de una vez por todas el sendero de la salud.

El camino hacia la salud va a comenzar en el momento en que decidimos llevar una vida más saludable, es decir, cuando nos damos cuenta de que nunca es tarde, o demasiado pronto para vernos mejor. Porque recordemos que todo lo que hagamos por nuestro interior, tendrá repercusiones en nuestro exterior. De ahí que sea sencillo saber el porqué las drogas, el alcohol y todo tipo de excesos y vicios nos dan una apariencia deplorable, mientras que la buena alimentación, el ejercicio, la meditación y demás aspectos saludables nos dan vitalidad.

De modo que nuestro camino inició en el momento en que adquirimos éste o cualquier otro libro que nos lleve por el correcto sendero de la alimentación.

Pero hablemos de la *jugoterapia*, después de todo es el tema que nos compete y por el cual usted decidió comprar nuestro libro. Como ya lo

mencionamos antes, es un tratamiento alterno que nos brinda vitaminas y minerales, es una forma sencilla y deliciosa de complementar los alimentos, al mismo tiempo que con ello se curan y prevén enfermedades y padecimientos. Entonces, y sin más preámbulos, vayamos directo al tema.

Jugos de una sola fruta o verdura

ZANAHORIA

El jugo de zanahoria es el ideal para normalizar todo el sistema, es la fuente más rica de vitamina A, pero además contiene otras como son B, C, D, E, G y K. Es rico en sodio, potasio, calcio, magnesio, fósforo, azufre, silicio y colina. Sirve para estimular el apetito y la digestión.

Es un jugo delicioso, aunque no se puede consumir diariamente, porque contiene un pigmento que puede darle a la piel una apariencia apiñonada, pero con una ingesta de un vaso, en ayunas, tres veces por semana será suficiente. Sin embargo, puede alternar el jugo con una zanahoria entera (los días en que no lo beba), con ello nuestra piel lucirá radiante y firme por más tiempo.

Ahora bien, el jugo de zanahoria, en caso de que se utilice para aliviar padecimientos en los ojos, la garganta, las vías respiratorias y el sistema nervioso, debe ser puro. Sin añadirle sal, limón ni nada por el estilo, además de que tenemos que consumirlo recién extraído, para que de esta manera le demos a nuestro organismo todos los nutrimentos necesarios.

Se recomienda también que las mujeres que se encuentran lactando lo tomen por lo menos cuatro veces a la semana, en ayunas, para que sea mejor la calidad y la cantidad de leche.

¿Cuál es la cantidad necesaria?, no podemos decirle que utilice determinado número de zanahorias porque la obtención de jugo, hoy en día, depende de la calidad del extractor. La cantidad necesaria será de un vaso pequeño (250 mililitros) hasta un litro, si su cuerpo así se lo permite.

Es importante que considere que todos los jugos, incluso el agua, no se pueden beber de un solo trago, pues para que el cuerpo lo asimile, tiene que irlos suministrando poco a poco, de esta manera, es fácil beber hasta un litro de jugo sin ningún problema, aunque claro, si llega a sentir molestias, entonces la próxima ingesta tiene que ser mucho menor.

NARANJA

El jugo de naranja es rico en vitaminas C, A, B_1, B_2, PP, así como en potasio, calcio, fósforo, hierro, sodio y magnesio. Ideal para los padecimientos de las vías respiratorias, además de que es muy recomendable para todo tipo de desayuno. Sin embargo, las personas que padecen de gastritis no pueden consumirlo, y para que a la larga no nos produzca una úlcera gástrica, debido a la acidez de algunas naranjas, lo que debemos hacer es beberlo junto con el desayuno, no antes, y tampoco después de las seis de la tarde.

Este jugo además de ser delicioso, se utiliza para prevenir el cáncer, controlar el colesterol y el estrés, pero las indicaciones son las mismas que para el jugo de zanahoria, es decir, tomarlo sin ningún tipo de condimento, como bien puede ser sal, limón, chile, etcétera. La ingesta necesaria será un vaso de 250 mililitros diarios.

PIÑA

El jugo de piña es rico en potasio, calcio, sodio y ácidos cítrico, málico y tartárico, los cuales ayudan a la digestión y tienen un efecto diurético. Por lo regular, se utiliza para activar la memoria, estimular la corriente sanguínea del cerebro y para evitar la coagulación de la sangre. Es muy rico y puede tomarse solo, o bien, para acompañar un delicioso desayuno.

Para extraerle el jugo a la piña es necesario pelarla y quitarle el centro, es decir, el corazón, con el resto de la pulpa se extrae el jugo ya sea en un potente extractor o en una licuadora. Se toma sin colar, y puede consumirse todos los días, ya que al retirarle el centro no podrá escaldarnos la lengua.

La cantidad, al igual que el jugo de zanahoria, lo dejamos a su consideración.

MANZANA

El jugo de manzana es rico en magnesio, hierro, silicio y potasio. Ideal para mejorar la digestión y en casos de fiebre e inflamación estomacal. Es un jugo muy delicioso que puede tomarse a cualquier hora del día, incluso por las noches, pues al ser una fruta caliente, no llega a caernos pesada.

La cantidad también depende de las necesidades de cada persona, y puede ingerirse cualquier día de la semana, o si lo prefiere, todos los días. Cabe mencionar que las manzanas no deben pelarse, pues la cáscara tiene un alto contenido de fibra. Ahora bien, actualmente existen algunos extractores muy potentes que exprimen hasta una manzana completa, por lo que si usted cuenta con uno de ellos, no dude en usarlos pues separan muy bien el jugo del bagazo.

TORONJA

El jugo de toronja contiene azúcar, potasio, vitamina C y ácido salicílico, ideales para la disolución y expulsión de calcio inorgánico en el sistema, que se forma en las personas que padecen artritis. Aunque también se utiliza como diurético, lo cual es muy válido, pero le recomendamos que no lo consuma en ayunas, sino acompañando a un buen desayuno (recomendado por su nutriólogo).

Con un vaso de 250 mililitros será más que suficiente, siendo únicamente recomendable en las mañanas, o bien, hasta el mediodía.

PAPAYA

La papaya es una de las pocas frutas que se pueden aprovechar al máximo, pues desde la pulpa hasta las semillas son útiles para efectivos tratamientos. Pero hablemos del exquisito sabor de su jugo. Para comenzar le diremos que la pulpa de la papaya contiene un ingrediente llamado papaína, que ayuda a que el proceso digestivo sea eficiente; también contiene fibrina, que nos ayuda a aliviar heridas internas y externas, y curiosamente la fruta verde tiene un efecto mucho más activo sobre el sistema que la fruta madura. De modo que si usted está pensando en ingerir su jugo, procure que la fruta no esté ni muy madura ni muy verde, para que no le sea desagradable el sabor.

El jugo es muy fácil de extraer, sólo tiene que pelar y retirarle las semillas a una papaya pequeña, corte la pulpa en trozos y licue, si está muy espeso, vierta un poco de agua mineral. El jugo es delicioso y se puede tomar a la hora que usted guste, a excepción de la noche. Utilice este remedio en caso de úlceras gastrointestinales.

BETABEL

El betabel contiene magnesio que ayuda al torrente sanguíneo, pero además encontraremos en su jugo potasio, hierro y sodio. Se recomienda a las mujeres que padecen molestias durante su ciclo menstrual, aunque también es muy efectivo en casos de venas varicosas, endurecimiento de las arterias y para combatir la presión alta.

El jugo de betabel nos permite ir regenerando el hígado, los riñones y la vesícula biliar, por lo que es recomendable que se consuma por lo menos una vez por semana. La ingesta recomendada es únicamente medio vaso de 250 mililitros. Hágalo en ayunas y no más de dos veces por semana, y si lo prefiere puede combinarlo con algunas de las recetas que se le mostrarán más adelante.

LIMÓN

Las propiedades que el limón contiene son similares a las de la naranja, por lo que nos ahorraremos la explicación. Sin embargo, este jugo se tiene que diluir con agua para que tenga el correcto efecto laxante; pruébelo en ayunas a razón del jugo de un limón en medio vaso de agua fría.

Pero el jugo de limón también puede consumirse para limpiar el hígado, los riñones y la vejiga, sólo que debemos tomarlo en la misma cantidad pero con agua caliente (lo más que la tolere), hágalo en ayunas y no consuma alimentos hasta después de media hora.

UVA

Las uvas son como una bendición divina, ya que son de las pocas frutas con gran contenido de agua, potasio y hierro. Aunque también poseen elementos alcalinos en abundancia; son ideales para la eliminación de ácido úrico, estimulando además la secreción de los jugos digestivos.

Algunos remedios naturales aconsejan ayunar un día, y consumir 250 grs. de uvas, ya que con ello, aseguran, se balancea el organismo desintoxicándose por completo. Sin embargo, consideramos que tomar un vaso de 250 mililitros de jugo de uva, cada tercer día, será más que suficiente para mantenernos sanos.

¿Cómo se prepara el jugo de uva?: pudiera parecer complicado, pero en realidad no lo es. Sólo tiene que triturar las uvas en un paño, el cual deberá estar arriba de un recipiente, todo el jugo que obtenga bébalo de inmediato, ya que es una fuente única de vitaminas y minerales.

Pero por si esto fuera poco, le vamos a dar un consejo único. Todo lo que le quede al paño, colóquelo sobre la piel, esto le ayudará a estar libre de estrías y celulitis. Deje que actúe de preferencia toda la noche y retire con el baño diario.

CEREZA

El jugo de cereza tiene un alto contenido de vitamina C, incluso hay quienes dicen que es más benéfico que el de naranja; sin embargo, nosotros consideramos que cada uno tiene un objetivo específico y no es bueno compararlos. Ahora bien, debemos procurar que cuando se vaya a consumir jugo de cerezas, lo mejor es que elija las oscuras, porque contienen mayor número de nutrimentos.

Para extraer el jugo de las cerezas realice el procedimiento anterior (el de la uva), pero este jugo, a diferencia del de la uva, es conveniente que se consuma durante o después del desayuno, procurando no tomarlo muy tarde (no más de las cinco).

APIO

El jugo de apio contiene sodio, hierro y magnesio. Es ideal para nutrir las células de la sangre, pero además es muy utilizado para perder peso, sin que esto llegue a tener consecuencias. También se recomienda en casos de padecer problemas nerviosos e insomnio.

Algo que se debe tomar en cuenta del jugo de apio es que nos aporta el sodio orgánico necesario para mantenernos jóvenes, pues está comprobado que la deficiencia de éste en el organismo, es lo que provoca el envejecimiento prematuro. Por lo tanto, si lo que desea es verse siempre joven y vital, tome un cuarto de vaso (de 250 mililitros) cada tercer día, en las mañanas, antes del desayuno. Para la pérdida de peso, procure que sea medio vaso, en vez de un cuarto.

TOMATE ROJO

Conocido por algunos como jitomate, es uno de los vegetales más generosos, pues sus nutrimentos son indispensables para mantener una piel y un cabello sano. El jugo se obtiene de la misma manera que el de uva y cereza, y se puede beber hasta un vaso de 250 mililitros diarios, antes del desayuno, esto le dará firmeza a la piel, lozanía y brillo al cabello.

LIMA

El jugo de lima contiene los mismos componentes que el de naranja y limón, sólo que éste es mucho más digerible por su sabor suave; puede ser consumido antes, durante o después del desayuno; y hay quienes aseguran que es más benéfico que el de naranja. Con un vaso de 250 mililitros será más que suficiente (cada tercer día) para erradicar de nuestras vidas los resfriados.

CHABACANO

Los chabacanos son la fruta más delicada que existe, aunque su alto contenido de hierro lo hace único para que el organismo produzca más glóbulos rojos. Pero además contiene una alta cantidad de silicio, que nos ayuda a mantener las uñas y el cabello saludables.

El jugo de chabacano se puede consumir diariamente, a razón de un vaso de 250 mililitros,

durante el desayuno o después de la comida. Y para obtenerlo puede cortar unos chabacanos y licuarlos con un poco de agua, verá que además de nutritivo es delicioso.

NÍSPERO

En nuestro país el níspero se da en los meses de octubre, noviembre y diciembre. Aunque para poder extraer su jugo tenemos que esperar a que estén anaranjados, lo cual es señal de que estarán lo suficientemente maduros como para aportarnos el fósforo, el potasio y el magnesio que contienen en este estado.

Para obtener jugo de níspero tiene que pelar la fruta, quitarle el centro (semillas) y después licuar con un poco de agua. Beba un vaso de 250 mililitros, después del desayuno, por no más de tres días a la semana.

Jugos contra el estrés

El estrés parece ser una de las enfermedades del nuevo milenio, lo que resulta muy común, pues todos estamos expuestos a la agitación diaria, logrando con ello alterar nuestro sistema nervioso. Sin embargo, y gracias a la *jugoterapia*, esto ya no va a resultar un problema, porque sólo necesita elegir una de las siguientes recetas para controlarlo.

Para el primer jugo vamos a necesitar:

Una taza de fresas
1 plátano tabasco picado (sin cáscara)
½ taza de pera picada
½ taza de agua mineral

Si tiene un extractor muy potente, puede pasar por él las fresas y la pera, y después licuar con el resto de los ingredientes. Pero si no lo tiene, hágalo en el vaso de la licuadora; beba sin colar un vaso de 250 mililitros, una vez por semana, de preferencia en ayunas.

¿Qué beneficios obtendremos con este jugo?: estas frutas nos ayudan a reducir los niveles de hipertensión, que es la presión alta, la cual nos puede provocar un infarto. Pero además es rico en vitamina C, muy necesaria cuando los niveles de adrenalina aumentan. De modo que los desajustes físicos y mentales que se generan con el estrés quedarán completamente controlados y erradicados.

Para el segundo jugo necesitaremos:

2 tallos de apio
3 ramas de perejil (completas, pero sin raíz)
1 pepino (sin los extremos)
5 zanahorias

Con la ayuda del extractor, saque el jugo de las zanahorias y los tallos de apio, no importa que se mezclen. Para que no amargue el pepino tiene que cortar los extremos y frotarlos hasta que suelten espuma; cuando esto suceda, lleve todo al vaso de la licuadora y beba en cuando obtenga una mezcla uniforme.

¿Cuáles son los beneficios?: tanto el pepino como el perejil nos ayudan a que la piel y el cabello luzcan radiantes; esto combinado con la zanahoria y el apio nos permiten estar libres del estrés porque nos controlan los niveles de adrenalina que se incrementan en el momento en que estamos bajo presión. Así obtendremos nutrición y salud en un solo paso. Beba el jugo una vez por semana y en ayunas.

Para el tercer jugo necesitamos:

½ taza de betabel
3 tomates rojos
¼ de col rizada

Extraiga el jugo del betabel, después mezcle todo en la licuadora. Tiene que beber el jugo en ayunas, una vez por semana.

¿Qué beneficios obtendremos?: al igual que con las recetas anteriores, lograremos regular los niveles de adrenalina, al tiempo que repondremos energías perdidas por el desgaste físico. Las proteínas de este jugo regulan el sistema nervioso, por lo que no se debe dudar en usarlo.

Para el cuarto y último jugo vamos a requerir:

½ taza de jugo de naranja
½ taza de jugo de piña
1 tallo de apio

En capítulos anteriores ya mencionamos cómo se extrae el jugo de la piña, por lo que resulta innecesario recordarlo. Siendo así, mezclamos los tres jugos y bebemos de inmediato, a razón de una vez por semana en ayunas.

¿Beneficios? podría decirse que este jugo es de los más completos, porque controla el nerviosismo, la angustia, la tensión y la ansiedad que nos atacan cuando nos encontramos estresados.

Básicamente usted puede elegir uno de los cuatro jugos presentados, ya que no es conveniente que se mezclen o se beba uno una semana y otro a la siguiente, pues obtendrá mejores resultados si elige uno y es constante.

Cabe mencionar que el estrés se evita consumiendo altos niveles de vitamina C, pues ésta es fundamental para la producción de hormonas corticoesteroides, las cuales nos mantienen alejados de niveles altos de adrenalina.

Jugos contra la colitis

La colitis es la inflamación del colon, las formas más comunes son la mucosa y la ulcerosa; sin embargo, y para ambos casos, usted lo primero que tiene que hacer es acudir al médico y en segundo término beber cualquiera de los siguientes jugos, pues no está de más darle una ayudadita a la medicina convencional.

Para el primer jugo vamos a necesitar:

Una taza de jugo de zanahoria
Una taza de jugo de manzana

Lo que nos dará una mezcla de medio litro aproximadamente. Por supuesto que los jugos tienen que ser frescos, es decir, recién extraídos. Beba de inmediato, un vaso por la mañana, una vez por semana.

La función de este jugo es básica para el tratamiento de la colitis, pues tiene efectos depurantes y diuréticos que nos auxilian en caso de inflamación estomacal, estreñimiento y obesidad. De modo que actúa como regulador de las funciones intestinales. Sin embargo, para que el jugo nos proporcione mejores resultados, beba el jugo de un limón diluido en un vaso de agua tibia, esto nos ayuda a acelerar la digestión.

El segundo jugo se compone de:

5 zanahorias
1 pepino mediano
1 betabel mediano

Extraiga el jugo de las zanahorias y el betabel, y después de quitarle los extremos al pepino, licue todo. Beba el jugo diario, de preferencia en ayunas.

¿Qué beneficios obtendremos? primero que nada vamos a ir desinflamando el colon, lo cual ocurre por un estreñimiento habitual, y en segundo lugar, vamos a calmar los nervios, pues éstos afectan el proceso digestivo.

Para el tercer jugo necesitamos:

1 vaso de jugo de zanahoria
5 hojas de espinaca

Colocamos el jugo de zanahoria y las hojas de espinaca en la licuadora, dejemos que se haga una mezcla uniforme y bebamos de inmediato.

Este jugo nos proporciona los mismos beneficios que el anterior, pero tampoco pueden mezclarse ya que es conveniente elegir uno y ser constantes en su consumo. Ahora bien, la colitis suele ser muy dolorosa, por lo tanto, decidimos proponerle un tratamiento completo.

Para empezar, debemos cambiar nuestros hábitos alimenticios, ya que los alimentos cocidos propician este mal, además de que agravan la enfermedad. De modo que es bueno consumir verduras y frutas crudas, ingiriendo el resto de los alimentos en menores cantidades; los beneficios por el cambio de dieta se verán al aliviarse la inflamación del colon.

Y para finalizar, le recomendamos hacer algunos lavados de la zona afectada con la siguiente tisana, hecha a base de:

10 grs. de semillas de manzanilla (flores)
20 grs. de semillas de lino
15 grs. de hojas de malva
20 grs. de tomillo
½ litro de agua

Ponga a hervir el agua, cuando esté a punto de ebullición, vierta las hierbas y deje cinco minutos al fuego. Retire, deje reposar diez minutos y luego enjuague las partes afectadas. Verá que en muy pocos días la colitis desaparecerá.

Jugo para saciar el apetito

Si llevamos una alimentación balanceada y resulta que no nos satisface, dejándonos algunos antojos que podrían hacernos salir de nuestro régimen, vamos a necesitar el siguiente jugo, ideal para todo hueco en el estómago.

Necesitamos los siguientes ingredientes:

2 peras medianas
1 limón (el jugo)
¼ de taza de piña picada (sin corazón)
½ vaso de agua mineral

Licue todos los ingredientes y beba sin colar. **Sin embargo, todo** va a depender de la forma en **que lo disfrutemos,** pues está comprobado que **entre más despacio** se tome el jugo, mejores serán **los resultados.**

Además de satisfacer el hambre, ¿qué otros beneficios obtenemos? Es un jugo muy completo: anticoagulante, diurético, favorece la digestión, elimina toxinas y nos ayuda a digerir las proteínas. Algunos autores lo recomiendan en los tratamientos de obesidad, ya que brinda la sensación de saciedad. Aunque recordemos que este jugo no debe sustituir a ningún alimento sano y equilibrado. Además, el jugo nos ayuda a evitar el estreñimiento porque favorece la actividad del intestino. Beba el jugo no más de tres días a la semana; y si lo que busca es satisfacer el hambre, tómelo una vez por semana.

Jugos para los problemas estomacales

En este capítulo vamos a tratar la mayoría de los problemas estomacales, de modo que usted obtendrá el remedio que más le favorecerá.

COMO ASTRINGENTE

2 mangos picados (manila)
Una taza de jugo de manzana

Vierta los ingredientes en la licuadora, cuando el mango se disuelva, cuele y beba de inmediato. Es importante que el jugo de manzana sea recién extraído, pues no obtendremos resultados si se usa jugo procesado. El jugo se bebe dos veces por semana, de preferencia en ayunas.

Con este sencillo remedio vamos a agilizar la función estomacal, a limpiar las arterias y a prevenir infecciones y acidez estomacal, debido a que contiene mucha fibra. Por lo tanto, también evitaremos el estreñimiento, la colitis y el dolor de estómago.

PARA EXPULSAR LOMBRICES

1 pimentón

Debemos extraer el jugo del pimentón y reservarlo, ya que únicamente tomaremos la medida de tres, varias veces al día. Es importante mencionar que el jugo no sirve de un día para otro, y no se debe exceder su consumo por más de dos días.

CONTRA EL ESTREÑIMIENTO

El jugo de una naranja
Medio vaso de agua

Mezcle el jugo de la naranja con el agua, espere que repose unos minutos y beba de inmediato. Esta preparación debe tomarse hasta que las molestias desaparezcan, o bien, tres veces por semana, antes del desayuno.

PARA FACILITAR EL TRÁNSITO INTESTINAL

½ taza de agua mineral
2 ramas de menta fresca
2 peras picadas
1 pepino mediano (sin extremos)
½ melón chino

Es mucho mejor que el pepino vaya con todo y cáscara, a excepción de los extremos, ya mencionamos qué hacer para que no amargue nuestro jugo. Aclarado esto, vamos a poner todos los ingredientes en la licuadora, el melón debe ir sin cáscara. Beba el jugo dos veces por semana, de preferencia después del desayuno.

Con este jugo vamos a facilitar el tránsito intestinal, como ya lo mencionamos, pero además, neutralizaremos la acidez, combatiremos el estreñimiento y refrescaremos la mucosa estomacal.

DIGESTIVO

¼ cucharada de hinojo
3 manzanas rojas picadas
1 trozo de col blanca
1 rama de menta
1 vaso de agua

Extraiga el jugo de las manzanas, y licue con el resto de los ingredientes. Beba de inmediato, dos veces por semana, una hora antes de la comida.

Es un jugo que nos va a abrir el apetito, nos ayudará para reducir la inflamación estomacal y a digerir mejor los alimentos ricos en grasas.

COMO LAXANTE

1 limón (el jugo)
1 cucharada de hojas de menta
1 cucharada de jengibre rallado
1 vaso de agua mineral
100 grs. de tamarindo
½ litro de agua

Hierva el tamarindo en el agua durante quince minutos, después retire la cáscara y poco a poco vaya retirando la pulpa. Cuando haya extraído toda la pulpa, agréguele una taza de agua, el jengibre y la menta, mezcle y deje reposar quince minutos. Coloque un paño encima de un vaso limpio y cuele el jugo, luego añada el agua restante y el jugo de limón. Beba un vaso por la mañana, una vez por semana.

Con este jugo lo primero que haremos es expulsar y eliminar grasas, por lo que puede ser un buen aliado cuando nos encontramos a dieta para adelgazar. Pero además es un suave laxante que nos favorece la digestión, al tiempo que limpia la sangre y reduce la hipertensión.

COMO CALMANTE

Una taza de pera picada
Una taza de jugo de zanahoria
½ taza de piña picada (natural)
1 trozo pequeño de jengibre (de un centímetro)

Vierta todos los ingredientes en la licuadora, y bata hasta que desaparezcan los grumos. La piña debe ser natural; muchas personas le ponen a sus jugos piña en almíbar, pero esto por supuesto no es recomendable. Beba el jugo dos veces por semana, de preferencia en ayunas.

Puede completar el tratamiento con una cucharada de aceite de oliva, los días en que no tome el jugo, repose quince minutos y luego beba el jugo de dos manzanas. Pero si las molestias persisten, consulte al médico. Aunque estamos seguros de que con estos sencillos consejos usted regulará la flora intestinal, aliviará la gastritis y las alteraciones hepáticas.

DEPURATIVO

¼ de taza de agua mineral
1 mango picado
½ taza de sandía picada (sin cáscara, ni semillas)

Vierta los ingredientes en la licuadora y póngala a funcionar a velocidad alta. Beba sin colar, una vez por semana, de preferencia una hora antes de la comida.

Este jugo nos ayuda a prevenir el estreñimiento, alivia cólicos y nos libera de los gases intestinales. Además de que aporta muy pocas calorías, lo que puede resultar ideal para los que buscan bajar de peso.

PARA REDUCIR LA ACIDEZ

Una cucharada de miel de abeja
1 manojo de alfalfa bien lavada
Una taza de jugo de guayaba

Mezcle los ingredientes en la licuadora, beba de inmediato a razón de un vaso entre comidas, dos veces por semana, únicamente durante un mes. Pero como estamos conscientes de que el jugo es muy espeso, le recomendamos que si le resulta desagradable beberlo, le agregue un poco de agua.

El jugo favorece la eliminación de ácido úrico, al tiempo que reducimos la acidez, lo cual es muy benéfico cuando se padece de úlcera intestinal. De modo que con la ayuda de éste vamos a regular la flora intestinal.

DIURÉTICO

Una taza de agua mineral
Una cucharada de perejil picado
Una rebanada de piña
½ taza de fresas

Licue todos los ingredientes, cuele y beba de inmediato. Tome un vaso de 250 mililitros a mediodía, una vez por semana.

Este jugo eliminará toxinas, reducirá la hipertensión y el ácido úrico, así como también es útil en el tratamiento de cálculos renales.

DEPURATIVO Y REFRESCANTE

1 vaso de jugo de naranja
Una rebanada de sandia (sin semillas)

Ponga los ingredientes en la licuadora, cuele y beba de inmediato. Beba un vaso al día, dos veces por semana.

Con este jugo vamos a calmar la sed, obtendremos una sensación de saciedad, limpiaremos los intestinos y favoreceremos la expulsión de toxinas. Además de que reduciremos considerablemente el colesterol.

Jugos contra la migraña

La mayoría de los médicos coinciden en que la migraña se debe a un caudal sanguíneo impuro y a centros nerviosos mal nutridos. Pero dicho en forma más sencilla, debemos saber que la migraña muchas veces se debe a una dieta rica en azúcar blanca y productos de harina refinada, estando el organismo deficiente de vitaminas y minerales.

Eso por un lado. Porque también este mal se puede deber a una tristeza profunda, a depresión aguda y a los ataques mal controlados de ira. Y de igual manera por problemas en el hígado, alergia a aditivos químicos, deficiencias glandulares, una dieta inadecuada y por la inhalación de sustancias desagradables.

Como podemos ver, la migraña es producida por muchas situaciones, lo que nos explica el porqué tantas personas son aquejadas por esta enfermedad. Sin embargo, dentro de la *jugoterapia* existen algunos jugos muy eficaces para controlarla y eliminarla.

El primer jugo se compone de:

1 vaso de jugo de zanahoria
5 hojas de espinaca previamente lavadas

Lleve los ingredientes a la licuadora y permita que las hojas se deshagan, sirva y beba de inmediato. Puede tomar este jugo diariamente, antes o durante el desayuno.

Este primer jugo es ideal para todas aquellas personas que sufren de migraña por una falta de vitaminas y minerales, de modo que lo primero que deberá hacer, antes de tomarlo, es hacer una revisión de su alimentación para determinar si ésta es su causa.

Para el segundo jugo necesitamos:

½ litro de jugo de zanahoria
2 tallos de apio
5 ramas de perejil
5 hojas de espinacas

Cabe mencionar que el jugo de zanahoria debe estar recién extraído. Mezcle todo con la ayuda de la licuadora. Beba de inmediato, tres veces por semana, después del mediodía.

Este jugo puede beberse sin importar cuál es la causa de la migraña, pues sus nutrimentos actuarán directamente en el problema.

El tercer jugo se compone de:

½ litro de jugo de zanahoria
½ betabel
1 pepino mediano (sin extremos)

Lleve todos los ingredientes a la licuadora, mezcle y sin colar beba de inmediato. Es importante que al pepino no le vaya a retirar la cáscara, pues se perderían la mayoría de sus nutrimentos. Consuma el jugo tres veces por semana, después del desayuno.

Puede consumirlo sin importar la causa de la migraña. Aunque le recomendamos que una vez que ésta haya sido erradicada, no lo deje de tomar.

Ahora veamos el cuarto jugo:

½ litro de jugo de zanahoria
2 dientes de león
5 hojas de espinacas

Ponga todos los ingredientes en la licuadora, deje que se mezclen bien y beba de inmediato, de preferencia después del mediodía.

Éste, al igual que los jugos anteriores, puede consumirse sin importar la causa de la migraña, pues aporta nutrimentos suficientes como para erradicarla por completo. Sin embargo, no exceda su consumo a más de tres veces por semana.

El quinto y último jugo contra la migraña se compone de:

½ litro de jugo de zanahoria
3 tallos de apio

Una vez que haya extraído el jugo de los tallos de apio, combine con el de zanahoria, el cual deberá estar fresco. Beba de inmediato, de preferencia después del desayuno.

Este jugo le ayudará a desechar toxinas, nutrir al organismo y a restablecer su equilibrio. De esta manera usted estará eliminando las condiciones que pueden provocar la migraña, de modo que ésta ya no será parte de su vida.

Usted puede elegir uno de los cinco jugos que le hemos presentado, e independientemente de cuál haya elegido, tiene que completar el tratamiento con una tisana, hecha a base de:

2 cucharadas pequeñas de verbena
1 taza de agua caliente
½ cucharada de miel de abeja

Se pone el agua caliente al fuego, para que de esta manera podamos verter la verbena y la miel, deje cinco minutos y retire para dejar reposar. Cuando esté tibio cuela y beba de inmediato.

El té o tisana lo tomará los mismos días que el jugo. Ahora bien, si usted piensa que los jugos no son combinables, está usted equivocado, porque sí los puede combinar, ya que los ingredientes son casi los mismos en todos los casos. Pero esto se hace únicamente cuando los casos de migraña son muy severos; siendo así, beberá los tres primeros jugos una semana, y el resto la siguiente, acompañados de la tisana, la cual se bebe después de la comida.

Algo muy importante es que cuando se lleva a cabo este tratamiento, se deja de lado los productos inorgánicos como la harina blanca y los aditivos químicos, así que vaya pensando en cambiar al delicioso pan integral.

¿Cuánto tiempo dura el tratamiento?, básicamente toda la vida, sólo que si usted nota que después de unas semanas la migraña prácticamente ha desaparecido, entonces elija un jugo y bébalo una vez por semana, al igual que la tisana.

Jugos para combatir la diabetes

La diabetes es una enfermedad causada por un consumo excesivo de almidón y azúcar, la cual se agrava con el consumo desmedido de carne. Sin embargo, una correcta forma de alimentarse es a través de los jugos, ya que los diabéticos deben mantener el consumo de productos ricos en azúcares completamente restringidos, siendo una opción muy útil las frutas frescas, las cuales son ricas en potasio, una de las sustancias naturales que más requiere el organismo.

El mejor tratamiento para la diabetes, después de lo que el médico indique por supuesto, es el consumo de jugos naturales. Y es que los diabéticos suelen padecer de periodos de tensión, en los que pierden potasio y llegan a retener sales. Para ello, la *jugoterapia* cuenta con los siguientes jugos.

El primer jugo se compone de:

1 vaso de jugo de zanahoria (de 250 mililitros)
1 tallo de apio
4 ramas de perejil
5 ramas de espinacas

Este jugo es algo complicado de hacer. Lo primero es extraer el jugo de zanahoria, pues debe ser fresco. Después machacaremos las ramas de perejil, de modo que éstas vayan soltando su jugo, exprima bien con un paño. Luego pasaremos el tallo de apio por el extractor, mientras que a las espinacas le haremos lo mismo que al perejil. Finalmente mezclamos todo y bebemos de inmediato.

El segundo jugo es a base de:

½ litro de jugo de zanahoria
5 hojas de espinacas

Si se le ha hecho sencillo extraer el jugo de las espinacas machacándolas en un paño, hágalo, pero si no, opte mejor por licuar los ingredientes. Beba el jugo de inmediato antes de que pierda sus propiedades.

Un tercer jugo es a base de:

1 vaso de jugo de zanahoria
1 tallo de apio
5 ramas de perejil
1 trozo de escarola

Licue todos los ingredientes hasta que desaparezcan los grumos. Beba de inmediato, de preferencia antes del desayuno.

El cuarto jugo lleva:

1 vaso de jugo de zanahoria
5 ramas de perejil
1 tallo de apio

De preferencia extraiga los jugos de los ingredientes por separado y como se menciona en la primera receta. Después mezcle y beba de inmediato, de preferencia antes del desayuno.

El quinto jugo es a base de:

1 vaso de jugo de zanahoria
½ vaso de jugo de espárragos
½ vaso de jugo de lechuga

Mezcle los jugos y beba de inmediato, de preferencia antes del desayuno.

Estos jugos, a diferencia de otros tratamientos, son perfectamente combinables, y de hecho se requiere tomarlos todos. ¿Cómo lo haremos?, vamos a combinar el jugo uno con el cinco: beberemos el primero antes del desayuno, después del mediodía tomaremos el cinco, y antes de irnos a la cama, cualquiera de los dos. Pero como debemos completar una ingesta de cinco vasos de jugo, entonces elegiremos cualquiera de los otros, y lo beberemos antes de la comida y una hora después de ésta. Las combinaciones quedan en sus manos, ya que no corre ningún riesgo. Pero si usted trabaja o va a la escuela complicándosele la ingesta, entonces opte por lo siguiente: beba el jugo uno antes del desayuno, luego en la tarde o noche, al llegar, tome cualquiera de los otros, y antes de irse a la cama beba el cinco.

Es importante que consuma suficientes ensaladas y algunas frutas benéficas en la dieta que seguramente ya le impusieron. Recuerde que no puede abandonar el tratamiento, pues desafortunadamente la diabetes sólo es controlable.

Seguramente usted ha escuchado que a algunos diabéticos se les debe suministrar insulina, pues cuando la enfermedad avanza, es difícil que el organismo la reproduzca de forma natural, de modo que se tiene que inyectar, lo cual resulta muy doloroso. El siguiente jugo es ideal para estos casos, para ello necesitará:

1 vaso de jugo de zanahoria
¼ de lechuga
10 ejotes
Una col de Bruselas

Ponga todos los ingredientes en la licuadora, licue, cuele y beba de inmediato. Este jugo se toma diariamente, ya que estos elementos suministran los ingredientes para la insulina natural.

Sin embargo, cuando lleve a cabo este último tratamiento, debe estar al pendiente de las evacuaciones, las cuales deben ser de forma regular, pues si esto no ocurriera tiene que acudir al médico.

Por último, le daremos una receta complementaria para cualquiera de los dos tratamientos, para ella necesitaremos:

Tomates verdes con todo y cáscara.
Agua la necesaria

Si alguna vez ha hecho jugo de tomate rojo entonces no le será difícil extraerle el jugo a los tomates verdes, aunque éstos deben ser procesados con todo y cáscara, la cual debe estar bien lavada. Tiene que beber un vaso de este jugo en ayunas, mucho antes que el primer jugo. Se toma durante mes y medio, y si lo prefiere se le agrega agua para que no esté muy espeso.

Jugos para problemas oculares

Los nervios ópticos requieren que usted se alimente nutritivamente para mantenerlos en perfecto estado, pues cuando sufren algún tipo de carencia, la vista comienza a deteriorarse. Por lo tanto, creemos que es conveniente, independientemente de si se sufre o no de algún problema ocular, tomar alguno de los siguientes jugos para que podamos crecer sin defectos en la vista.

El primer jugo se compone de:

1 vaso de jugo de zanahoria
1 tallo de apio
5 ramas de perejil
1 trozo de escarola

Todos los ingredientes se ponen en la licuadora, perfectamente lavados (el jugo de zanahoria debe ser recién extraído), licue hasta que obtenga una mezcla uniforme. Beba despacio de preferencia después del mediodía, y otra porción igual antes de las seis de la tarde.

¿Qué beneficios obtenemos?: todos estos ingredientes nutren al nervio óptico, por lo que su mezcla significa una especial combinación. Está comprobado que el consumo diario, durante dos meses, de este jugo, nos corrige la vista, a tal grado de que si utilizamos anteojos, éstos quedarán en el olvido.

Pero ¿qué pasa cuando tenemos cataratas? Primero aclararemos qué son éstas, pues seguramente algunas personas lo desconocen. Las cataratas o catarata en los ojos, son un mal que los cristaliza cubriéndolos de una nube opaca. Se puede hablar de muchas causas, pero ciertamente lo más concreto sería decir que son provocadas por una nutrición deficiente de los nervios y músculos ópticos.

En la actualidad, y gracias a los estudios científicos se ha comprobado que la deficiencia de vitamina B_2 tiende a producir cataratas. Y para que nos demos una idea de qué cantidad es la favorable para eliminarlas, diremos que con 15 miligramos diarios será más que suficiente. ¿Pero qué jugos la contienen?, básicamente son tres, los cuales deben ser consumidos diariamente.

El primero es a base de:

1 vaso de jugo de zanahoria
6 hojas de espinacas

Los ingredientes se mezclan en la licuadora. Beba de inmediato antes de que el jugo pierda sus propiedades.

Para el jugo dos necesitamos:

1 vaso de jugo de zanahoria
½ vaso de jugo de apio (se extrae del tallo únicamente)
¼ de vaso de jugo de perejil (se extrae machacándolo en un paño)
¼ de vaso de jugo de escarolas (se extrae machacándolas en un paño)

Los jugos deben ser frescos. Se mezclan bien y se toman de inmediato.

El tercer jugo es a base de:

1 vaso de jugo de zanahoria
¾ de vaso de jugo de apio
¼ de vaso de jugo de perejil

Mezcle los jugos y beba de inmediato antes de que pierdan sus propiedades.

¿Cómo se combinan? Al día se toman los tres jugos, sin excepción, pues las cataratas son una enfermedad grave y contagiosa. Éstos se beberán hasta que las nubes de los ojos desaparezcan por completo. Ahora bien, no importa cómo los beba, ya que lo que realmente nos debe ocupar es consumirlos mañana, tarde y noche.

Jugos para fortalecer el sistema óseo

El sistema óseo es la estructura básica de nuestro cuerpo, pues comprende todos los huesos y dientes. Cuando nuestro sistema sufre alteraciones, surgen enfermedades que los deterioran. Por ello, debemos proporcionarles los nutrimentos necesarios para que siempre se mantengan sanos, pues si tomamos en cuenta que con la edad, nuestras necesidades de calcio aumentan, es conveniente saber qué alimentos son los que nos lo proporcionan en cantidades altas.

El nabo contiene un porcentaje mayor de calcio y es muy recomendable consumirlo tanto para los niños como para los ancianos, o cuando se sufre de descalcificación de huesos y dientes. Por consiguiente le recomendamos, sin importar su edad, que consuma al menos uno de los siguientes jugos.

Jugo uno a base de:

1 vaso de jugo de zanahoria
3 hojas de nabo
2 dientes de león

Extraiga el jugo de las hojas del nabo y los dientes de león ayudándose de un paño. Mezcle y beba inmediatamente.

Es un remedio que le ayudará a endurecer los dientes y huesos en general. El jugo resulta muy efectivo y se debe consumir, en casos extremos, dos veces por semana; de lo contrario, con una vez será suficiente.

El jugo dos se compone de:

1 vaso de jugo de zanahoria
3 hojas de nabo
1 tallo de apio

Estos ingredientes contienen altas cantidades de sodio y hierro, aunque también un porcentaje alto de potasio, siendo este último único para los problemas de osteoporosis (enfermedad donde los huesos se van desgastando hasta que se rompen). Puede consumirlo dos veces por semana, antes del desayuno.

Jugos contra las hemorroides

Las hemorroides son una masa de venas distendidas (varicosas), situadas en el interior del recto. Son tres los estados de las hemorroides: de primer grado, cuando se mantienen sólo en el interior del ano; de segundo, cuando se encuentran tanto en el interior como en el exterior del recto, causando gran dolor, porque sangran con más frecuencia que las otras; y de tercer grado, las cuales se encuentran en la parte exterior del ano, causando mayores molestias.

Podemos contrarrestar estas molestias con una ingesta de jugos que además de ser deliciosos son nutritivos y eficaces.

Para el primero requerimos:

8 zanahorias medianas
1 vaso de jugo de espinaca

Use las hojas de espinacas necesarias. Cuando tengamos el jugo listo, extraigamos el de zanahoria, después mezcle y beba de inmediato. Se consume una vez por semana (en la mañana), durante un mes.

Para el segundo jugo se necesita:

8 zanahorias
½ vaso de jugo de espinacas
¼ de vaso de jugo de nabo
¼ de vaso de jugo de berros

Extraiga el jugo de las zanahorias y mezcle con los demás, los cuales deberán ser frescos. Beba de inmediato, en las mañanas, dos veces por semana.

Para el tercer jugo se requiere:

1 vaso de jugo de zanahoria
5 hojas de espinacas
¼ de lechuga chica
Una nabiza (hoja tierna del nabo)
1 berro pequeño

Esto le ayudará a disolver la fibrina sanguínea coagulada. Tome el jugo dos veces por semana, de preferencia en ayunas, durante tres meses.

Jugos contra la obesidad

La obesidad es el peso excesivo de una persona, el cual rebasa los niveles normales y le impide llevar una vida saludable. Los siguientes jugos pueden ser consumidos por todas aquellas personas que desean bajar de peso, pues no tienen ninguna contraindicación y no alteran ninguna de las funciones del organismo. Aunque recuerde que además del jugo que usted elija, debe llevar una dieta especial para conseguir lo que desea.

Jugo uno:

1 tallo de apio
Una taza de jugo de toronja
½ taza de col picada

Para este jugo necesitamos un extractor potente, porque debemos pasar por él la col, para que podamos obtener únicamente su jugo. Lo mismo se hará con el tallo de apio. Mezcle los tres jugos y beba de inmediato, de preferencia en ayunas.

Para complementar este tratamiento, se tiene que beber ocho vasos de agua diarios y tomar el jugo dos veces por semana. Con esto conseguiremos bajar de peso, desintoxicar el hígado y quemar grasas.

Jugo dos:

3 rebanadas de piña
4 ramas de perejil
2 naranjas grandes

Extraigamos el jugo de las naranjas, cuando lo tengamos listo, licuemos junto con el resto de los ingredientes. Beba despacio, de preferencia en ayunas.

Complemente este tratamiento, el segundo, tomando por lo menos seis vasos de agua diarios. No exceda el consumo de este jugo a más de tres veces por semana.

Jugo tres:

½ taza de sandía picada (sin semillas)
1 mango
¼ taza de agua mineral

Lleve todos los ingredientes a la licuadora, deje que se mezclen bien y sin colar beba de inmediato.

Este jugo posee propiedades laxantes, pero es importante que lo complemente con el consumo de ocho vasos diarios de agua y una dieta equilibrada.

Jugo cuatro:

Una cucharada de miel de abeja
½ limón (el jugo)
Una toronja pequeña
Una taza de fresas picadas

Extraiga el jugo de la toronja, después lleve a la licuadora todos los ingredientes y licue hasta que se mezclen bien. Beba de inmediato, de preferencia en ayunas.

Este jugo, al igual que los anteriores, se debe complementar con una dieta equilibrada baja en grasas y el consumo de seis vasos de agua diarios.

Jugo cinco:

2 tazas de jugo de uva natural
4 limas
250 grs. de uvas frescas

No confunda, una cosa es el jugo y otra, las uvas que vamos a licuar. Ya hemos mencionado cómo se obtiene el jugo de uva, y después de extraerle el jugo a las limas, todo se licua. Beba de inmediato.

Este jugo es depurativo, ideal para quemar grasas. Beba tres veces por semana, de preferencia en ayunas. Le recomendamos que opte por uvas verdes sin semillas, ya que son más deliciosas y fáciles de procesar.

Jugo seis:

3 cerezas oscuras
3 melocotones
1 naranja grande

Extraiga el jugo de la naranja, después licue junto con el resto de los ingredientes. Si queda algo espeso, puede añadir un poco de agua. Beba de preferencia después del desayuno.

No importa cuál haya sido su elección, ya que los seis jugos son benéficos y deliciosos.

Le sugerimos llevar una dieta balanceada y beber suficiente agua.

Jugos antioxidantes

Cuando hablamos de oxidación nos estamos refiriendo al deterioro que sufre nuestro organismo a causa de una alimentación insuficiente, o bien, por los excesos de la misma. Sin embargo, las propiedades de algunas frutas y verduras nos pueden ayudar a revertir de forma inmediata los problemas causados por este deterioro.

Nuestro primer jugo requiere:

½ taza de jugo de manzana
1 taza de jugo de tomate (rojo)
8 zanahorias medianas

Extraigamos el jugo de las zanahorias y el tomate, cuando los tengamos listos, añadamos el de manzana. Beba una vez por semana, de preferencia antes del desayuno.

¿Cuáles son los beneficios?: primero que nada vamos a fluidificar la sangre, a liberarnos de la anemia y a prevenirnos del cáncer. Y después, reduciremos el colesterol, prevendremos infartos y agilizaremos la digestión.

El segundo jugo se compone de:

2 naranjas medianas
1 limón
2 cucharadas de perejil picado
5 tomates rojos (el jugo)

Extraigamos el jugo de las naranjas y el limón, después haremos lo mismo con los tomates. Cuando los tengamos listos, mezclemos todo, aunque si lo prefiere puede licuarlo, pues hay quienes no toleran los trozos de perejil. Tome esta ingesta dos veces al mes, de preferencia después del desayuno.

Con este jugo combatiremos el envejecimiento prematuro, evitaremos la formación de cálculos y aliviaremos el reumatismo. Pero, además, resulta ser la mejor forma de prevenir el cáncer, por su alto contenido en calcio y vitaminas A, C y E.

El tercer jugo necesita:

120 mililitros de jugo de manzana
2 mangos picados
1 vaso de jugo de toronja

Lleve todos los ingredientes a la licuadora, deje que se mezclen bien, pues no deben quedar grumos. Beba de inmediato, dos veces por semana, después del desayuno.

Este jugo sin duda es una carga de fibra, contiene propiedades astringentes y antiinflamatorias. Nos ayudará a aliviar la acidez estomacal, a prevenir el estreñimiento y a limpiar la piel, por lo que no se debe dudar en tomarlo.

Un cuarto jugo se compone de:

2 tallos de apio
Una taza de pera picada
1 trozo pequeño de jengibre (de un centímetro)
Agua, la necesaria

Extraigamos el jugo de los tallos de apio, luego llevemos todos los ingredientes a la licuadora y dejemos que se mezclen bien. Consuma dos veces por semana, de preferencia después del mediodía.

Al igual que el jugo anterior, éste nos proporciona grandes cantidades de fibra que nos permite desintoxicar el organismo, estimular los jugos gástricos y aliviar la inflamación estomacal.

Para el quinto jugo se necesita:

1 vaso de jugo de zanahoria
½ vaso de jugo de betabel

Mezcle ambos jugos y beba de inmediato. Puede consumirlo hasta dos veces por semana, de preferencia durante el desayuno.

¿Qué contiene?: este jugo nos suministra una gran cantidad de fósforo, azufre, potasio, elementos alcalinos y vitamina A. Por lo que resulta ser la mejor forma de reconstruir las células de la sangre.

Jugos contra la anemia

La anemia es el trastorno caracterizado por la disminución del número normal de glóbulos rojos o de la cantidad de hemoglobina existente en éstos. Las personas que padecen este trastorno se muestran pálidas, cansadas, con dolores de cabeza, respiración deficiente y palpitaciones. Nosotros le recomendamos que primero consulte al médico, y después se suministre cualquiera de los siguientes jugos, los cuales son muy eficientes en el tratamiento y corrección de la anemia.

Jugo uno:

1 tomate rojo
¼ de taza de espinacas
1 diente de ajo
1 vaso de agua

Lleve todos los ingredientes a la licuadora, deje que se mezclen bien y beba de inmediato.

Consuma dos veces por semana, antes del desayuno. Cuando la anemia haya desaparecido, tómelo una vez a la semana, durante un mes, para prevenir su aparición.

Jugo dos:

2 tallos de apio
Una escarola
2 ramas de perejil

Licue los ingredientes, y sin colar beba de inmediato. Suministre dos veces por semana, de preferencia antes del desayuno, durante un mes o hasta que desaparezca el trastorno.

Jugos para combatir problemas en el hígado y la vesícula

La ira, el sedentarismo, la mala alimentación y algunos vicios son causantes de fuertes trastornos y enfermedades en el hígado y la vesícula biliar. Afortunadamente existen algunos jugos muy eficaces que nos pueden ayudar a que estos órganos recuperen su vitalidad.

Jugo uno:

1 betabel mediano
½ vaso de agua de coco
5 zanahorias medianas

Extraiga el jugo de las zanahorias y el betabel. Después mezcle con el agua de coco y beba de inmediato. Para restablecer el bienestar de estos órganos se recomienda que se consuma diario durante uno o tres meses.

Jugo dos:

6 zanahorias medianas
2 betabeles

Extraiga el jugo por separado y mezcle antes de beberlo. Consuma en ayunas dos veces por semana.

Jugo tres:

6 zanahorias
1 betabel
1 pepino (sin extremos)

Extraiga los jugos de las zanahorias y el betabel, cuando los tenga listos, licue con el pepino. Beba de inmediato, de preferencia después del mediodía.

Debemos complementar este tratamiento con el jugo de un limón diluido en agua caliente (un vaso), el cual se bebe en ayunas. Con esto eliminaremos las impurezas de la vesícula biliar y los riñones. No exceda su consumo por más de tres veces por semana.

Jugo cuatro:

6 zanahorias medianas
1 tallo de apio
Una escarola

Extraiga el jugo de las zanahorias y del tallo de apio, luego lleve todos los ingredientes a la licuadora y deje que se mezclen. Beba de inmediato, de preferencia en ayunas.

Es muy recomendable para la secreción de la bilis, lo que resulta ser el mejor aliado para combatir los padecimientos del hígado y de la vesícula biliar, ayudando a su limpieza y estimulando la secreción de la saliva.

Jugos para evitar problemas respiratorios

Los problemas respiratorios pueden ir desde un pequeño resfriado hasta un trastorno pulmonar, y ya es bien sabido que éstos se corrigen con una buena ingesta de vitamina C, acompañada de los cuidados apropiados. Ahora vamos a ver qué frutas y verduras nos la proporcionan.

Jugo uno:

2 vasos de jugo de toronja
Una taza de papaya picada (sin semillas)
1½ vasos de jugo de piña

Coloque los ingredientes en la licuadora y bata hasta que los grumos desaparezcan. Cuele y beba en seguida. Tome un vaso diariamente, hasta que desaparezca la enfermedad o el trastorno.

Este jugo es rico en vitamina C, ideal para combatir el resfriado acompañado de tos y garganta irritada.

Jugo dos:

Una cucharada de rábano picado
1 vaso de jugo de zanahoria

El jugo de zanahoria debe ser recién extraído, después se licua junto con el rábano y se bebe de inmediato. Tome una porción a la semana, pues con esto nuestras vías respiratorias se fortalecerán.

Este jugo tiene propiedades expectorantes, lo que nos permite protegernos contra los catarros y la bronquitis. Su alto contenido de vitamina C ayuda a prevenir infecciones, aumentar las defensas y calmar los nervios. Algunos autores lo recomiendan para controlar el asma y la sinusitis, pero nosotros le aconsejamos que de hacerlo no deje de lado su medicamento tradicional.

Jugo tres:

1 vaso de jugo de naranja
½ taza de fresas picadas
8 guayabas

Ponga todos los ingredientes en la licuadora y deje que se haga una mezcla uniforme. Sirva y beba de inmediato. Si se encuentra enfermo, beba tres veces por semana, pero de lo contrario sólo debe tomarlo una vez, de preferencia con el desayuno.

El jugo es una buena fuente de vitamina C, lo que nos permite aumentar las defensas, disminuyendo las posibilidades de que nos enfermemos. Algo que resulta importante mencionar es que al ingerir este jugo podremos combatir la fiebre, presente en muchas enfermedades respiratorias, además de que calmaremos los nervios y protegeremos el corazón.

Jugo tres:

Una taza de papaya picada
1 rebanada de piña (sin centro)
2 toronjas rosadas

Extraiga el jugo de las toronjas, luego lleve todos los ingredientes a la licuadora y deje que se mezclen bien. Beba de inmediato, de preferencia después del desayuno, tres veces por semana.

El jugo nos permite aliviar el dolor de garganta y combatir los resfriados. Además de que nos permite lubricar las mucosidades para su fácil expulsión.

Jugo cuatro:

Una taza de fresas picadas
Una rebanada de piña (sin centro)
1 vaso de jugo de naranja

Ponga todos los ingredientes en la licuadora y deje que se mezclen bien. Cuando esto suceda, beba de inmediato. Tome el jugo dos veces por semana, después del desayuno.

El jugo es una fuente de vitamina C, por lo que nos será de gran utilidad en casos de catarro, gripe y bronquitis.

Jugos contra el asma

El asma es un trastorno en el que el paciente siente dificultad para respirar, acompañada de ligeros silbidos y opresión en el pecho. Generalmente los niños que padecen asma sufren de ataques de tos seca, que les impide respirar con tranquilidad. Sin embargo, y aunque se diga que el trastorno es difícil de tratar, existen algunos jugos que se llevan muy bien con los tratamientos contra el asma, siendo unos excelentes aliados a la hora de controlar y mantener la salud.

Jugo uno:

½ vaso de jugo de zanahoria
¼ de vaso de jugo de betabel
3 ramas de perejil
1 tallo de apio
Una manzana
Una cucharada de germen de trigo

Extraiga el jugo de la manzana, después lleve todo a la licuadora y deje que se mezcle bien. Beba de inmediato.

Con este jugo los periodos de tos seca disminuirán considerablemente, incluso descongestiona las vías respiratorias, haciendo más fácil la labor de inhalar. Para mejores resultados se debe consumir dos veces por semana, después del desayuno, sin que lo llegue a interrumpir, pues con la suspensión del mismo, reaparecen los periodos de tos.

Jugo dos:

1 vaso de jugo de zanahoria
2 tallos de apio
Una escarola

Extraiga el jugo de los tallos de apio, después lleve los ingredientes a la licuadora y deje que se mezclen bien. Beba de inmediato, dos veces por semana, de preferencia después del mediodía.

Jugo tres:

1 vaso de jugo de zanahoria
½ betabel
1 tallo de apio
Una rama de perejil

Extraiga el jugo del betabel, luego mezcle con el de zanahoria. Por último, lleve todo a la licuadora y deje que se mezcle muy bien. Beba de inmediato, de preferencia en ayunas, dos veces por semana.

Jugo cuatro:

1 vaso de jugo de zanahoria
½ vaso de jugo de manzana
¼ de vaso de jugo de betabel
1 tallo de apio

Extraiga el jugo del tallo de apio; el resto de los jugos también debe ser recién extraído. Mezcle todo muy bien y beba de inmediato, de preferencia en ayunas, tres veces por semana.

Tiene que elegir cualquiera de estos cuatro jugos y suministrarlo de la forma en que se indica. Sin embargo, son muy combinables entre sí, por lo que puede tomarlos por semana; aunque estamos seguros de que habrá uno que le dé mejores resultados, de modo que cuando llegue a descubrir cuál, ya no lo sustituya o reemplace.

Jugos contra
la calvicie

La calvicie puede ser producida por muchos factores, algunos hereditarios, y otros causados por el entorno. Pero independientemente del factor y del grado de pérdida de cabello, las personas que la padecen llegan a sentirse observadas y utilizan cuanto producto se les ofrece con tal de reparar la pérdida; sin embargo, el cabello, al igual que la piel, pueden regenerarse de forma natural, ¿cómo?, desde adentro. Claro que habrán muchos productos químicamente comprobados que destapen los poros del cabello (forúnculos), pero a todos ellos debemos darles una ayudadita con productos naturales, ya que son los únicos que verdaderamente nos permiten reencontrar el equilibrio.

Jugo uno:
1 vaso de jugo de zanahoria
3 hojas de lechuga
¼ de vaso de jugo de alfalfa

Licue todos los ingredientes y beba de inmediato. Puede extraer el jugo de la alfalfa machacándola en un paño.

Con este jugo vamos a enriquecer las raíces del cabello, pues las vitaminas y minerales que contienen cada uno de los ingredientes, permiten que además se active el crecimiento del cabello, dándole un aspecto más saludable. Puede consumirlo después del desayuno, o antes si así lo decide, de preferencia tres veces por semana. Notará cambios a la primera semana. Es muy recomendable para todas aquellas personas que están perdiendo el cabello, o que incluso tienen zonas desprovistas del mismo, ya que el jugo reactivará su crecimiento. Aunque puede ser consumido por todos los miembros de la familia, pues tampoco afecta el cabello teñido.

Jugo dos:

1 vaso de jugo de zanahoria
1 pepino (sin extremos)
4 hojas de espinacas
4 hojas de lechuga

Ponga todos los ingredientes en la licuadora, deje que se mezclen bien y beba de inmediato, de preferencia en ayunas.

El jugo ti~ ie un alto contenido de azufre y silicio, lo que promueve el crecimiento del cabello y detiene su caída. Beba por lo menos dos veces por semana, de preferencia en ayunas.

Le recomendamos que sea muy constante, pues la ingesta de cualquiera de estos jugos no se debe interrumpir por ninguna circunstancia, recuerde que su salud es lo más importante. Verá que con el tiempo usted notará un cabello abundante, libre de puntas abiertas, con más sedosidad y menos resequedad.

Jugos contra la gota

La gota es una enfermedad provocada por un aumento de uricemia, que se caracteriza por una inflamación articular muy dolorosa, localizada, por lo general, en el dedo gordo del pie, y por otros trastornos viscerales. En la actualidad, se ha comprobado que algunos remedios caseros pueden ayudarnos a acabar con la enfermedad, por lo que hemos elegido los mejores jugos que actuarán desde su interior.

Jugo uno:

1 vaso de jugo de piña
½ vaso de jugo de naranja
2 ramas de perejil picado

Ponga todos los ingredientes en la licuadora y deje que se mezclen bien. Beba de inmediato en ayunas, de preferencia dos veces a la semana.

Jugo dos:

1 pepino (sin extremos)
1 vaso de jugo de zanahoria
½ betabel

Extraiga el jugo del betabel, mezcle con el de zanahoria y después licue con el pepino. Beba de inmediato en ayunas, por lo menos dos veces por semana.

Para complementar este jugo, tiene que seguir una dieta en donde se consuman pocas carnes y aves, predominando el pescado. El jugo además le ayudará a aliviar los malestares gástricos, nerviosos y musculares, que generalmente se padecen con esta enfermedad.

Jugo tres:

Una papa
1 vaso de jugo de zanahoria
1 tallo de apio
½ betabel

Extraiga el jugo del tallo de apio y del betabel, mezcle y reserve. Aparte machaque la papa, extrayendo de ella el poco jugo que tenga. Al final mezcle todos los jugos y beba de inmediato, de preferencia en ayunas. Consuma el jugo dos veces por semana.

Complemente el tratamiento colocando un poco de perejil en la zona afectada (externamente), deje unos quince minutos y retire. Realice este procedimiento los días en que no beba el jugo. Es importante también que cuide su alimentación.

Jugo cuatro:

1 vaso de jugo de zanahoria
1 tallo de apio
½ betabel
1 camote

Extraiga el jugo del tallo de apio y del betabel, mezcle y reserve. Machaque el camote y mezcle el jugo que obtenga con el de zanahoria. Por último, vierta todos en un solo vaso y beba de inmediato, de preferencia en ayunas.

Es importante mencionarle que este jugo contiene más calcio y silicio que el anterior, por lo que puede ser ideal en casos extremos. Al igual que con el jugo tres, también tiene que cuidar su alimentación.

Jugo para combatir el cansancio

Muchas veces el ritmo de vida que llevamos nos deja exhaustos, siendo necesario inyectarle un poco de energía a nuestro organismo, y la mejor forma de hacerlo es a través de un jugo rico en vitaminas y minerales.

Los ingredientes que necesitamos son:

1 taza de fresas
1 puño de avena
150 mililitros de leche
1 plátano sin cáscara

Ponga todos los ingredientes en la licuadora y deje que se mezclen bien. Beba de inmediato siempre que se sienta exhausto, o si lo prefiere, dos veces por semana.

Jugo para prevenir enfermedades cardiacas

Los médicos han mostrado cifras alarmantes en las que señalan que 8 de cada 10 mexicanos (adultos) padecen de hipertensión (presión alta), lo que significa que la mayoría de las personas somos una bomba de tiempo, por lo que resulta muy importante mencionar un jugo para eliminar las toxinas, reducir la presión alta y controlar el ácido úrico, y aunque quizá no vamos a poder acabar con los factores que nos producen tensión, sí podemos hacer algo por nosotros si tomamos el jugo y llevamos una dieta equilibrada. Para él necesitamos:

½ taza de fresas
1 rebanada de piña

2 ramas de perejil
1 taza de agua

Ponga todos los ingredientes en la licuadora y deje que se mezclen bien. Beba de inmediato, de preferencia al mediodía, una vez por semana.

Para obtener mejores resultados debe controlar su dieta, la cual debe ser reducida en grasas.

Comentario final

En la actualidad la *jugoterapia* es una de las formas más sencillas de mantener la salud, pues con la ingesta de jugos, el organismo se provee de nutrimentos necesarios para subsistir. Y es que los jugos resultan deliciosos y fáciles de preparar, además de que no representan un gasto extra, pues seguramente en la cocina siempre hay un vegetal o una fruta disponible.

Sin embargo, la efectividad de esta terapia va a depender de la constancia, ya que debemos estar conscientes de que ningún tratamiento es milagroso, además de que las recetas las tenemos que preparar con las medidas exactas, de modo que si se nos dice un vaso de jugo de zanahoria, por ejemplo, utilicemos cuantas zanahorias sean necesarias para obtenerlo; tome en cuenta que cada una de las recetas ha sido comprobada, por lo que bajo ningún motivo puede ser cambiada, así que procure usar las medidas exactas, pues sólo de esta manera gozaremos de los beneficios que nos aportan estos jugos.

Dese cuenta que todavía se encuentra a tiempo de cambiar sus hábitos alimenticios, ¡no lo piense más! También debe procurar consumir por lo menos litro y medio de agua, ya que los jugos no la sustituyen en ningún momento. De modo que el mantenimiento de su salud siempre va a estar encaminado a lograr el equilibrio de nuestro organismo, para que nada le llegue a faltar.

Índice

Se termino de imprimir en el mes de marzo del 2010
en los talleres de Impresiones y Ediciones Nuevo Mundo.

Ubicada en calle Abasolo No. 15-A
Col. Tepepan, Deleg. Xochimilco.

El tiraje fue de 1,000 ejemplares
México, D.F.